Le bleu de l'espoir

Écrit par Robert Blake
Illustré par Josée Gauthier

D1530824

Les éditions du 9e jour inc.

Catalogage avant publication de Bibliothèque et Archives Canada

Blake, Robert, 1964-

Le bleu de l'espoir
(Collection Histoires à pensées)

ISBN : 978-2-9809785-1-7

I. Titre.
PS8603.L33B53 2009   C843'.6   C2009-941488-0
PS9603.L33B53 2009

Illustrations : Josée Gauthier – www.joseegauthier.com
Photo de Robert Blake : Nancy Lessard

Couverture, infographie et mise en pages :
DesJardins Conception Graphique inc. – www.djcg.qc.ca

Dépôt légal - Bibliothèque et Archives Canada, 2009
Dépôt légal - Bibliothèque et Archives nationales du Québec, 2009

Les éditions du 9e jour inc.
C.P. 271, Succ. Saint-Laurent, Saint-Laurent (Québec) Canada H4L 4V6
Courriel : info@9ejour.com
www.9ejour.com
Imprimé en Chine

Le bleu de l'espoir

Écrit par Robert Blake
Illustré par Josée Gauthier

Il était une fois un marchand de bleu qui déambulait dans les rues de la ville en offrant sa couleur préférée aux gens. Tous l'accueillaient avec un grand sourire amusé.

Un jour, il croisa une jeune enfant qui pleurait en silence, assise en bordure de la rue.

Lorsqu'il lui offrit du bleu,
la petite fille refusa
d'un signe de la tête.

Surpris, le marchand
de bleu lui demanda
la raison de son refus.

La jeune enfant lui présenta ses avant-bras,
puis son cou et ses jambes, tous parsemés
de bleus. Le marchand avait peine à le croire.
Pour lui, le bleu avait toujours été magique,
mais voilà que, pour la première fois, il prit
conscience qu'il y avait d'autres types de bleus.

Il y a les bleus
au corps
Les bleus
sans remords

Il y a les bleus à l'âme

Et les bleus
pour lesquels on
prend le blâme

Il y a les bleus sans vie

Les bleus meurtris

Il y a les bleus maudits

Et les bleus qui sans cesse
reprennent vie

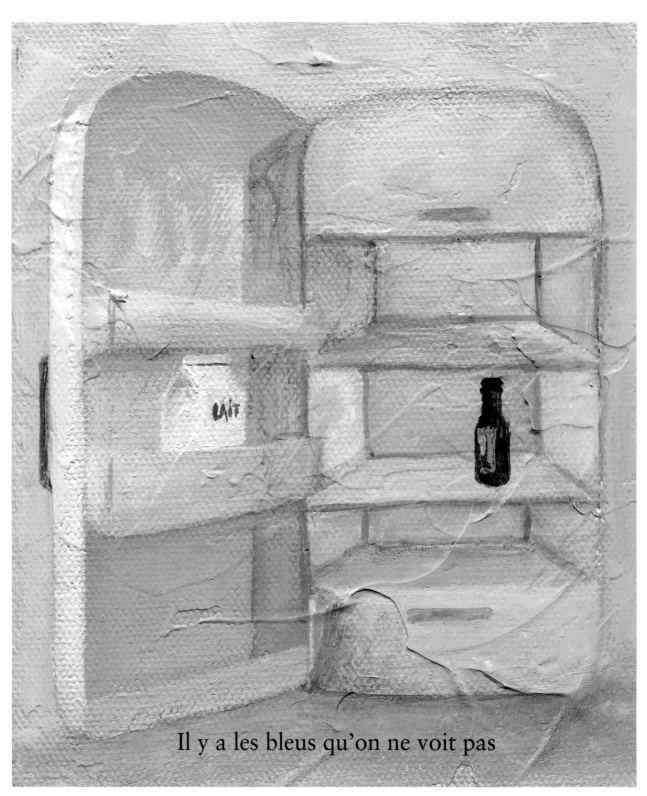

Il y a les bleus qu'on ne voit pas

Les bleus qui entendent des pas

Il y a les bleus des
enfants de l'Hôpital
Sainte-Justine

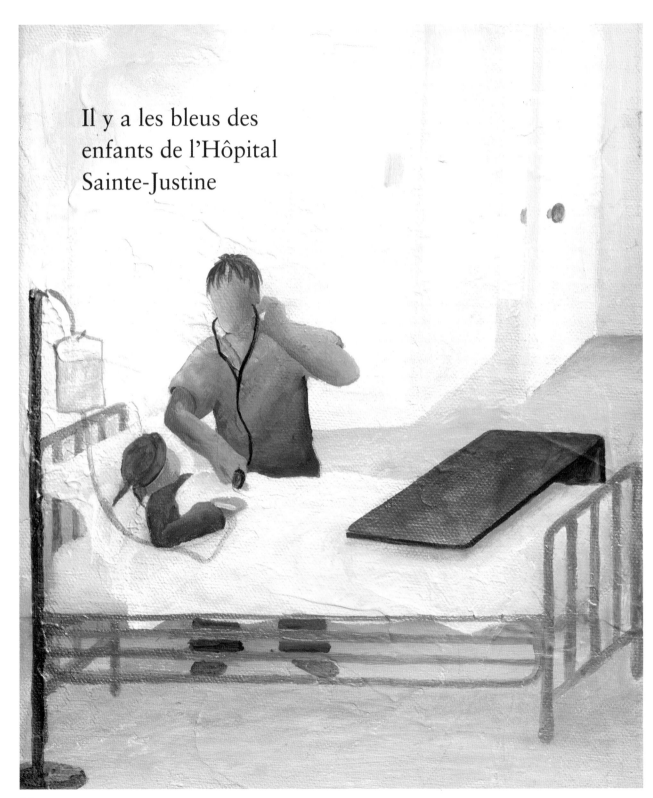

Et les bleus des
enfants dont
l'âme crie famine

La fillette donna un mouchoir
au marchand de bleu afin
qu'il puisse essuyer les
larmes de ses yeux.
Le marchand lui remit
un ballon bleu et dit :

Sache qu'il y a le bleu de l'arc-en-ciel
Et le bleu du ciel

Il y a le bleu qui témoigne

Et celui qui soigne

Il y a le bleu des
mers et des océans
Et celui des dauphins
dansants

Enfin, il y a le bleu
de ton miroir
Et celui de l'espoir

L'enfant sourit, puis chuchota à l'oreille du marchand : « Continue à offrir le bleu de l'espoir, pour que demain nul enfant ne cherche à fuir son miroir. »

Bouleversé par cette rencontre,
le marchand décida de dédier
sa vie aux enfants victimes de bleus.
Depuis, il témoigne, il les soigne,
et leur offre le bleu de l'espoir…

Robert Blake

Né à Ville Saint-Laurent, Robert Blake a grandi, bercé par les histoires de Kim Yaroshevskaya, alias Fanfreluche. Ses deux premiers livres, des contes philosophiques, *Le Voyage* et *Kaya*, ont rejoint le cœur de milliers d'enfants de 8 à 101 ans. Lorsque l'auteur rencontre les jeunes dans les écoles primaires et secondaires, il les incite à écouter leur cœur et à emprunter la route de leur rêve.

Josée Gauthier

Josée Gauthier est née à Saint-Eustache. Dès son plus jeune âge, elle a découvert la magie des couleurs. Artiste-peintre autodidacte, elle se distingue par ses personnages colorés, sans visage, présentés dans des scènes épurées où l'essentiel se traduit dans l'émotion de l'instant saisi sur le vif. Elle a participé à de nombreuses expositions provinciales, nationales et internationales, et a reçu plusieurs prix et reconnaissances pour ses œuvres qui sont présentées au Québec, en Europe et en Asie.